DEINOSORIAID DIFYR DYLAN

Y TYRANOSORWS TRAFFERTHUS

DYLAN'S

THE TYRANNOSAURUS REX

I Xander a Lily, gyda chariad x

I George Bear, fy nai anhygoel

Cyhoeddwyd gan Rily Publications Ltd 2014
Rily Publications Ltd Blwch Post 20, Hengoed CF82 7YR
Hawlfraint yr addasiad © Rily Publications Ltd 2014
Addasiad gan Elin Meek

Deinosoriaid Difyr Dylan: Y Tyranosorws Trafferthus
ISBN 978-1-84967-179-8
Cyhoeddwyd yn wreiddiol yn Saesneg yn 2014 o dan y teitl
Dylan's Amazing Dinosaurs: The Tyrannosaurus Rex
gan Simon and Schuster UK Ltd.
Cysyniad © 2014 Simon and Schuster UK
Hawlfraint y testun © 2014 E.T. Harper
Hawlfraint y darluniau © 2014 Dan Taylor
Peiriannydd papur: Maggie Bateson

Argraffwyd yn China

RILY

www.rily.co.uk

DEINOSORIAID DIFYR DYLAN

Y TYRANOSORWS TRAFFERTHUS

DYLAN'S AMAZING DINOSAURS: THE TYRANNOSAURUS REX

Roedd gan Dylan dŷ coeden gwych. Roedd yn llawn o bethau difyr, a'r mwyaf difyr ohonyn nhw i gyd oedd Llyfr Deinosoriaid Hud Tad-cu Ffosil ac . . .

Cadwch Draw!

ADENYDD, Terodactyl tegan Dylan!
Bob tro byddai Dylan yn agor y llyfr, byddai Adenydd
yn dod yn fyw a'r ddau'n hedfan i ffwrdd ar antur
ryfeddol i gasglu gwybodaeth am ddeinosoriaid.

'Hei, Adenydd!' gwaeddodd Dylan wrth agor y llyfr hud.
'Tybed pa wybodaeth ryfeddol
gawn ni heddiw?'

Y Tyranosorws

Ffeil Ffeithiau Tyranosorws

Brathiad: Tair gwaith cryfach na siarc mawr gwyn

Hyd: 12 metr (mor hir â bws ac mor drwm â dau eliffant)

Cynefin: Coedwigoedd, gwastadeddau a chorsydd

Nodwedd hynod: Dannedd yr un maint â llaw dyn

Nifer y dannedd:.....

'Hmm . . .' meddai Dylan. 'Felly dyna'r dasg, Adenydd!
Rhaid i ni gael gwybod sawl dant oedd gan y Tyranosorws!'

Wrth glywed am y Deino-dasg, daeth Adenydd
yn fyw, ysgwyd ei adenydd a gwibio i lawr o'r silff.

'Dere, fe hedfanwn i ble mae'r
deinosoriaid yn rhuo!' gwaeddodd Dylan.

Cydiodd Dylan
yn ei ysbienddrych
wrth iddyn nhw hedfan dros Ynys y Rhuo.
'Edrych, Adenydd! Hadrosorws, Stegosorws,
Triceratops a dyna'r TYRANOSORWS!

Brysia, gad i ni lanio cyn iddo fynd o'r golwg.'

Neidiodd Dylan oddi ar Adenydd, a sleifio'n nes i gael golwg
well ar y creadur anferthol. Ond aeth Dylan yn rhy agos ato . . .

RRAAAAAAAAARRR!

Roedd y Tyranosorws wedi arogli Dylan.
Trodd ei ben enfawr a dangos ei
ddannedd ANFERTH.

'Waw!' bloeddiodd Dylan, wrth iddo gychwyn rhedeg. 'Am ddannedd brawychus!'

Crynodd y ddaear o dan ei draed. 'Hedfana uwch ei ben, Adenydd!' gwaeddodd Dylan yn wyllt. 'Rhaid i ni ei ddrysu.'

Rhedodd Dylan nerth ei draed ond roedd y Tyranosorws yn dal i'w ddilyn.

Plymiodd Dylan,
a'i wynt yn ei ddwrn,
i mewn i foncyff gwag.
'Ffiw! Cael a chael oedd hi!'

Arhosodd y Tyranosorws. A ffroeni.

Agorodd y bwystfil ffyrnig ei geg led y pen, a gallai

Dylan deimlo ei anadl ddrewllyd, ffiaidd ar ei wyneb.

Roedd angen cynllun clyfar ar Dylan,
a hynny ar frys . . .

Yna cafodd syniad gwych a chropian i ben draw'r boncyff.

'Hwyl!'

Saethodd Dylan allan o'r boncyff wrth
i'r Tyranosorws suddo ei ddannedd i'r pren.

Ysgydwodd y cawr ei
ben yn ffyrnig a rhuo'n grac.
Roedd cynllun Dylan wedi gweithio — roedd dannedd
y Tyranosorws yn sownd! Plymiodd Dylan i'r gors gerllaw a
gwylio'r Tyranosorws yn ceisio tynnu ei ddannedd yn rhydd.

Wrth iddo ollwng y boncyff, rhuodd y Tyranosorws mor uchel
nes bod y ddaear yn crynu. Trodd i chwilio am ei ginio — sef Dylan.

Suddodd Dylan yn is i'r gors. Rhoddodd fwd drewllyd dros ei gorff er mwyn cuddio ei arogl, tynnu brwyn dros ei ben a chuddio. Daliodd ei anadl wrth i lygaid barcud a thrwyn awchus y Tyranosorws ddod yn nes.

O'r diwedd gwelodd y deinosor ginio mwy blasus a rhuthro ar ei ôl.

Syllodd Dylan i'r awyr gan chwilio am Adenydd.
'Help! Mae'r Tyranosorws wedi mynd – ond nawr dwi'n suddo!'

Ar y gair, gwibiodd Adenydd i lawr a thynnu Dylan allan.
'Waw! Diolch, Adenydd!' gwaeddodd Dylan. 'Nawr, beth am
gael y wybodaeth yna cyn i'r cawr ddod yn ôl am ei bwdin!'

Gollyngodd Adenydd Dylan wrth y boncyff.

'Am ddannedd ENFAWR!' meddai Dylan wrth iddo ddechrau cyfri'r tyllau.

'Un, dau, tri . . .

pum deg chwech, pum deg saith . . .

PUM DEG WYTH DANT!

Y Tyranosorws yna sydd â'r brathiad gwaethaf erioed!

Mae'r Deino-dasg wedi'i chwblhau, Adenydd! Bant â ni!'
Neidiodd Dylan ar gefn y Terodactyl ac i ffwrdd â nhw am adref.

Yn ôl yn y tŷ coeden, cydiodd Dylan mewn afal, brathu
llond ei geg a rhoi'r Llyfr Deinosoriaid Hud ar ei gôl.
Nododd y rhif 58 ar ffeil ffeithiau'r Tyranosorws.

'Hei, Adenydd, edrych!' Dangosodd Dylan ei afal iddo.
'Dwi'n gallu cyfri ôl fy nannedd innau hefyd!'

Gwenodd Adenydd, plygu ei adenydd a neidio'n ôl
ar silff y tŷ coeden, yn barod am yr antur nesaf.

THE TYRANNOSAURUS REX

6–7 Dylan had an incredible tree house. It was full of fantastic things, and the most fantastic of all were Grandpa Fossil's magic Dinosaur Journal and . . . WINGS, Dylan's toy pterodactyl! He came to life whenever Dylan opened the journal and they flew off on amazing adventures together to make awesome dinosaur discoveries.

8–9 'Hey, Wings!' Dylan called as he flung the journal open. 'I wonder what discovery we'll make today?'
Fact File
Tyrannosaurus rex
Bite: Three times as strong as a great white shark
Size: 12 metres (as long as a bus and the weight of two elephants)
Habitat: Forests, plains and swamps
Extraordinary feature: Teeth the size of a man's hand.
Number of teeth:..........
'Hmm . . .' Dylan said. 'So that's our mission, Wings! We need to find out how many teeth the T. rex had!' At the mention of a Dino Mission, Wings leapt to life, shook out his wings and swooped down from the shelf. 'Let's go, let's soar, off to the land where the dinosaurs roar!' Dylan shouted.

10–11 Dylan grabbed his binoculars as they flew over Roar Island. 'Look, Wings! A Hadrosaur, a Stegosaurus, a Triceratops and there's a TYRANNOSAURUS! Quick, let's land before we lose it!' Dylan hopped off Wings, and inched forward to get a better look at the gigantic creature. But he got too close . . .

12–13 ROOOAAAARRRRGGHHHHH!
The T. rex caught Dylan's scent in his nostrils. It turned its giant head, and bared its GINORMOUS gnashers.

14–15 'Yikes!' yelped Dylan, as he started to run. 'Are those teeth for real?' The ground shook beneath his feet. 'Fly over the T. rex Wings!' shouted Dylan desperately. 'We have to confuse it.' Dylan ran as fast as he could but the T. rex was still coming. Dylan dived, panting, into a hollow log. 'Phew, that was close!'

16–17 The T. rex stopped. And sniffed. The ferocious beast opened its jaws so wide that Dylan could feel its disgusting, meaty breath on his face. Dylan needed a plan, and fast!

18–19 'Got it!' he said and crawled to the other end of the log. 'Time to go!' Dylan shot out of the log just as the Tyrannosaurus sunk its teeth in.

20–21   The giant dino shook its head and growled in frustration. Dylan's plan had worked - the T. rex's teeth were stuck! Dylan dived into a nearby swamp and watched the T. rex try to get its teeth free from the log. Finally, with an earth-shaking snarl, the T. rex freed its fearsome fangs. Turning its head, it hunted for its Dylan-shaped dinner.

22–23   Sinking lower into the swamp, Dylan disguised his scent with stinky mud, pulled grass over his head and hid. He held his breath as the Tyrannosaur's beady eyes and super-sensitive snout scanned over him. It felt like forever but at last the T. rex caught sight of a tastier-looking dinosaur dinner and charged off. Dylan searched the sky for Wings. 'Help! The T. rex has gone . . . but now I'm really sinking!'

24–25   WHOOOOSHHHH!
Just in time, Wings swooped down and pulled Dylan out. 'Wow! Thanks, Wings!' called Dylan. 'Now let's get that missing information before the T. rex comes back for pudding!'

26–27   Wings dropped him by the log. 'Its teeth are HUGE!' exclaimed Dylan as he started to count the holes. 'One, two, three . . . fifty-six, fifty-seven . . . FIFTY-EIGHT TEETH! That T. rex has the meanest bite EVER! Dino Mission accomplished, Wings! Let's fly!' Dylan jumped on the pterodactyl's back and they took off for home.

28–29   Back in the tree house Dylan grabbed an apple and took a huge bite, heaving the magic Dinosaur Journal onto his lap. He scribbled the number 58 into the T. rex fact file. 'Hey Wings, look!' Dylan held out his apple. 'I can count my teeth too!' Wings smiled and jumped back on to the tree house shelf, ready and waiting for their next adventure.